AS AVENTURAS DO CAPITÃO CUECA em cores

TRÁ-LÁ-LÁAAA!

TRADUÇÃO DE
CLARA LACERDA

O PRIMEIRO ROMANCE ÉPICO DE
DAV PILKEY

Companhia das Letrinhas

Para David e Nancy Melton, com gratidão.

Copyright do texto e das ilustrações © 1997 by Dav Pilkey

Todos os direitos reservados. Publicado mediante acordo com Scholastic Inc., 557 Broadway, Nova York, NY 10012, EUA.
"Este livro foi negociado via Ute Körner Literary Agent, Barcelona – www.uklitag.com"

Grafia atualizada segundo o Acordo Ortográfico da Língua Portuguesa de 1990, que entrou em vigor no Brasil em 2009.

Título original
THE ADVENTURES OF CAPTAIN UNDERPANTS NOW IN FULL COLOR

Preparação
PAULA MARCONI DE LIMA

Revisão
ANA LUIZA COUTO
LUCIANA BARALDI

Composição e tratamento de imagem
M GALLEGO • STUDIO DE ARTES GRÁFICAS

Dados Internacionais de Catalogação na Publicação (CIP)
(Câmara Brasileira do Livro, SP, Brasil)

Pilkey, Dav
As aventuras do Capitão Cueca : o primeiro romance épico de Dav Pilkey ; tradução de Clara Lacerda — 1ª ed. — São Paulo : Companhia das Letrinhas, 2017.

Título original: The Adventures of Captain Underpants Now in Full Color.
ISBN 978-85-7406-754-4

1. Literatura infantojuvenil. I. Título.

16-08743   CDD-028.5

Índices para catálogo sistemático:
1. Literatura infantil   028.5
2. Literatura infantojuvenil   028.5

15ª reimpressão

2020

Todos os direitos desta edição reservados à
EDITORA SCHWARCZ S.A.
Rua Bandeira Paulista, 702, cj. 32
04532-002 — São Paulo — SP — Brasil
☎ (11) 3707-3500
 www.companhiadasletrinhas.com.br
 www.blogdaletrinhas.com.br
 /companhiadasletrinhas
 companhiadasletrinhas

SUMÁRIO

1. JORGE E HAROLDO

Conheça Jorge Beard e Haroldo Hutchins. Jorge
é o garoto da esquerda, de gravatinha e cabeça
chata. Haroldo é o da direita, de camiseta e um
corte de cabelo esquisito. Não esqueça quem
é quem.

Jorge e Haroldo eram grandes amigos. Os dois tinham muito em comum. Eram vizinhos de porta e estavam no quarto ano na escola Jerome Horwitz.

Jorge e Haroldo eram, em geral, meninos muito responsáveis. Sempre que alguma coisa ruim acontecia, os responsáveis eram eles.

Mas não fique com uma impressão negativa em relação aos dois. Jorge e Haroldo, na verdade, eram bons meninos. Não importava o que o mundo inteiro pudesse pensar, eles eram bons, doces e adoráveis... Bem, O.k., talvez não tão doces e adoráveis, mas bons mesmo assim.

Só que Jorge e Haroldo tinham uma "veia artística" *muito* forte, viviam fazendo arte. Em geral, essa "veia artística" era difícil de controlar. Algumas vezes, ela os deixava em apuros. E, uma vez, ela os deixou em *GRANDES* apuros.

Mas, antes de te contar essa história, preciso te contar *esta* história.

2. QUADRINHOS CASA NA ÁRVORE S/A

Depois de um dia inteiro contando piadas, fazendo estripulias e armando o caos na escola, Jorge e Haroldo gostavam de correr para a velha casa na árvore do quintal da casa de Jorge. Dentro dela havia duas grandes e velhas cadeiras felpudas, uma mesa, um armarinho lotado de balas e chocolates e um engradado cheio de lápis, canetas e pilhas e mais pilhas de papel.

Bem, Haroldo adorava desenhar, e Jorge adorava inventar histórias. Juntos, os dois meninos passavam horas e horas escrevendo e desenhando suas próprias histórias em quadrinhos.

Ao longo dos anos, eles haviam criado centenas de histórias e dúzias de super-heróis. Primeiro teve o *Homem-Cão*, depois *Timmy, a Privada Falante*, e quem poderia esquecer de *A incrível Madame Vaca*?

Mas o maior super-herói que criaram, o maior de todos os tempos, tinha que ser *O incrível Capitão Cueca*.

Jorge teve a ideia.

— A maioria dos super-heróis *parece* que voa por aí de cueca — ele disse. — Bem, este cara voa *mesmo* por aí de cueca!

Os dois garotos riram à beça.

— Boa — disse Haroldo. — Ele podia ter *o poder do cuecão*!

Jorge e Haroldo passavam tardes inteiras escrevendo e desenhando as aventuras em quadrinhos do Capitão Cueca. Ele era o super-herói mais legal de todos os tempos!

Para sorte dos garotos, a secretária da escola
Jerome Horwitz era muito ocupada para ficar de
olho na máquina de xerox. Então, quando tinham
uma chance, Jorge e Haroldo se escondiam no
escritório e tiravam várias centenas de cópias da
última aventura do Capitão Cueca.

Na hora da saída, no pátio da escola, eles
vendiam os gibis feitos em casa por cinquenta
centavos cada um.

As aventuras Muito Iradas do
CAPITÃO CUECA

Texto de Jorge Beard – Ilustração de Haroldo Hutchins

Era uma época de iscuridão e desesperança para o planeta Terra. Vilões tinham tomado conta das ruas e todos os super-heróis do mundo estavam muito velhos para lutar contra as forssas do mal.

Ei!

Ha ha

Então apareceu no pedaço um novo super-herói, melhorado e muito mais forte.

Trá-lá-láaaaa!

Olhem lá no céu. É um pássaro.

É um avião.

É um X-salada.

Sem essa! Eu sou o Capitão Cueca.

Era dia da "Cumida SURPRESA fedorenta" na cantina.

Eeeca!

Todos odiaram tanto aquilo que jogaram tudo fora.

LiXO

Logo a Comida da escola ganhou vida.

LiXO

Eu, o INCOMÍVEU GRUDE.

O monstro correu Pela escola, Comendo tudo o que via...

NHAC

Não perca a nossa próxima emossionante aventura:

CAPITÃO CUECA

e o

ATAQUE DAS PRIVADAS FALANTES

Em breve num parquinho perto de você.

Quadrinhos
Casa na Árvore S/A

4. O VELHO MALVADO SR. KRUPP

Você está vendo aquele
cara velho lá no alto,
olhando pela janela?
    É o sr. Krupp,
diretor da escola.

Pois bem, o sr. Krupp era o diretor mais malvado e azedo de toda a história da escola Jerome Horwitz. Ele odiava risos e cantoria. Odiava o barulho das crianças brincando no recreio. Na verdade, ele odiava as crianças em geral!

E adivinhe quais eram as duas crianças que ele mais odiava?

Se você disse Jorge e Haroldo, acertou!
O sr. Krupp *odiava* Jorge e Haroldo.

Ele odiava suas estripulias e suas piadas.
Odiava suas atitudes bobas e suas risadinhas
constantes. E odiava especialmente os terríveis
gibis do *Capitão Cueca*.

— Um dia ainda pego esses meninos — jurou o sr. Krupp. — Um dia muito, muito em breve!

5. UM DIA MUITO, MUITO EM BREVE

Lembra que eu disse que a "veia artística" de Jorge e Haroldo, uma vez, os colocou em grandes, GRANDES apuros? Bem, esta é a história de como isso aconteceu. E de como algumas extravagantes estripulias (e um pouco de chantagem) transformaram o diretor do colégio no super-herói mais legal de todos os tempos.

Era o dia da final do campeonato de futebol americano, disputado entre os Miolomoles da Horwitz e os Insetos Fedorentos da Stubinville. As arquibancadas estavam cheias de torcedores.

As animadoras de torcida correram para o campo e começaram a agitar os pompons no alto.

Uma fina poeira preta saiu dos pompons e ficou pairando em volta delas.

— Me dê um M! — gritaram as animadoras.

— *M!* — repetiu a torcida.

— Agora um I! — gritaram as animadoras.

— *I!* — repetiu a torcida.

— Agora um ...a-a-a-A-TCHIM — espirraram as animadoras.

— *A-a-a-A-TCHIM!* — repetiu a torcida.

As animadoras espirravam e espirravam
e espirravam cada vez mais. Elas não conseguiam
parar de espirrar.

— Ei! — gritou um torcedor na arquibancada.
— Alguém pôs pimenta-do-reino nos pompons
das animadoras!

— Quem será que fez isso? — perguntou outro
torcedor.

As animadoras saíram do campo cambaleando, espirrando e com o nariz escorrendo, enquanto os membros da banda tomavam seus lugares.

Mas, quando a banda começou a tocar, montes de bolhas começaram a sair dos instrumentos! Havia bolhas em *tudo que era lugar*! A banda escorregava e derrapava, deixando por onde passava um rastro de espuma molhada e borbulhante.

— Ei! — gritou um torcedor na arquibancada.
— Alguém pôs espuma de banho nos instrumentos da banda!

— Quem será que fez isso? — perguntou outro torcedor.

A-TCHIM
A-TCHIM

Logo depois, os times de futebol entraram
em campo. Os Miolomoles chutaram a bola.
Ela subiu, subiu e subiu. Mais e mais alto.
A bola viajou até as nuvens e continuou
até que ninguém mais podia vê-la.

— Ei! — gritou um torcedor na
arquibancada. — Alguém encheu
a bola do jogo de *gás*!

— Quem será que fez
isso? — perguntou
outro torcedor.

Mas a bola perdida não chegou a fazer muita falta. Naquele momento, os Miolomoles começaram a rolar pelo campo, se coçando e se esfregando feito loucos.

— Ei! — gritou o técnico do time. — Alguém trocou nossa Maravilhosa Pomada Musculol para Massagens por Creme de Pó de Mico Extraforte do sr. Traquinas!

— Quem será que fez isso? — gritaram os torcedores na arquibancada.

A tarde inteira foi assim, com pessoas gritando coisas do tipo "ei, botaram girinos na limonada!" ou "ei, alguém fechou a porta do banheiro com cola!".

Não demorou muito para que todos os torcedores da arquibancada se levantassem e fossem embora. A final do campeonato foi cancelada e todo mundo na escola ficou *chateadíssimo*.

Todo mundo com exceção de dois meninos que gargalhavam, ajoelhados nas sombras embaixo das arquibancadas.

— Essas foram as melhores peças que já pregamos! — riu Haroldo.

— É mesmo — concordou Jorge. — Vai ser difícil inventar outras melhores.

— Só espero que não sejamos pegos — disse Haroldo.

— Não se preocupe — disse Jorge. — Não deixamos pistas. Não há *como* sermos pegos!

6. PEGOS

No dia seguinte, na escola, um chamado veio dos alto-falantes.

"Jorge Beard e Haroldo Hutchins, por favor, dirijam-se ao escritório do sr. Krupp, o diretor, imediatamente."

— Xiiiii — disse Haroldo. — Não gostei *disso*!
— Não se preocupe — disse Jorge. — Eles não podem provar nada.

Jorge e Haroldo entraram no escritório do sr. Krupp, o diretor, e sentaram nas cadeiras em frente à sua mesa. Os dois meninos já haviam estado lá mil vezes juntos, mas desta vez era diferente. O sr. Krupp estava *sorrindo*. Desde que Jorge e Haroldo tinham conhecido o sr. Krupp, eles nunca, *nunquinha*, tinham visto o diretor sorrir.

O sr. Krupp sabia de alguma coisa.

— Eu não vi vocês dois no jogo ontem — comentou ele.

— Bem, não — respondeu Jorge. — Não estávamos nos sentindo muito bem.

— É-é-é — gaguejou Haroldo, que estava nervoso. — Fo-fomos pa-para ca-ca-casa.

— Ah, que peninha — disse o sr. Krupp. —
Vocês perderam um bom jogo.

Jorge e Haroldo rapidamente olharam um para o
outro, engoliram em seco e tentaram com empenho
não parecer culpados.

— A sorte de vocês dois é que eu tenho um vídeo
de tudo — disse o sr. Krupp. Ele ligou a televisão
que estava no canto da sala e apertou o botão
do videocassete.

Uma imagem em preto e branco apareceu na tela da TV. Era uma tomada do alto, que mostrava Jorge e Haroldo pondo pimenta-do-reino nos pompons das animadoras de torcida. Depois veio uma imagem de Jorge e Haroldo jogando líquido de espuma de banho nos instrumentos da banda do colégio.

— Vocês gostaram desse *show* pré-jogo? — perguntou o sr. Krupp com um sorriso maligno.

Jorge, aterrorizado, olhou para a tela da televisão. Ele nem conseguia falar. Os olhos de Haroldo estavam grudados no chão. Ele nem conseguia olhar.

A fita continuou passando e passando, revelando todas as traquinagens "de bastidores" de Jorge e Haroldo. A essa altura, os dois meninos estavam de cabeça baixa, encolhidos, nervosos e suando frio.

O sr. Krupp desligou a TV.

— Sabem — disse ele —, desde que vocês vieram para esta escola, têm feito uma travessura atrás da outra. Primeiro, puseram sapos dissecados na salada de gelatina do jantar para pais e mestres. Depois, fizeram nevar no refeitório. Depois, mexeram em todos os alto-falantes e deixaram tocando funk no *último volume* por seis horas seguidas.

"Por *quatro longos anos* vocês fizeram esta escola de gato e sapato, mas eu nunca tinha sido capaz de provar nada. Até agora!"

O sr. Krupp segurava a fita de vídeo na mão.

— Tomei a liberdade de instalar, em toda a escola, este pequeno sistema interno de câmeras. Eu só não sabia que ia ser *tão fácil*.

7. UM POUCO DE CHANTAGEM

O sr. Krupp recostou-se em sua cadeira, rindo sozinho por um longo, longo tempo. Finalmente, Jorge teve coragem de falar alguma coisa.

— O q-que o senhor vai fazer com a fita? — ele perguntou.

— Achei que vocês nunca fossem perguntar — riu o sr. Krupp.

— Eu pensei muito, muito bem no que vou fazer com esta fita — disse o sr. Krupp. — No começo, pensei em mandar cópias para os pais de vocês.

Os meninos engoliram em seco e afundaram nas cadeiras.

— Depois pensei em mandar uma cópia para o conselho da escola — continuou o sr. Krupp. — Eu poderia fazer com que vocês fossem *expulsos* por isso!

Os garotos engoliram ainda mais em seco e se afundaram um pouco mais em suas cadeiras.

— Por fim, tomei uma decisão — concluiu o sr. Krupp. — Acho que o time de futebol gostaria de saber exatamente *quem* foi responsável pelo fiasco de ontem. Acho que vou mandar uma cópia para os jogadores!

Jorge e Haroldo pularam das cadeiras e caíram de joelhos.

— Não! — gritou Jorge — O senhor não pode fazer isso. Eles nos *matariam*!

— É verdade — implorou Haroldo —, eles nos matariam todos os dias até o fim de nossas vidas!

O sr. Krupp gargalhava.

— Tenha piedade, por favor — os meninos suplicaram. — Faremos qualquer coisa!

— *Qualquer coisa?* — perguntou o diretor, em êxtase. Ele pegou em sua mesa uma lista de normas e esfregou-a no nariz dos meninos. — Se vocês não querem *morrer* até o *fim de suas vidas*, vão obedecer a essas regras *tim-tim por tim-tim*!

Jorge e Haroldo examinaram a lista com atenção.

— Isso... isso é chantagem! — disse Jorge.

— Chame como quiser — rebateu o sr. Krupp —, mas se vocês não seguirem *direitinho* cada um dos itens dessa lista, a fita de vídeo vai cair nas mãos dos Miolomoles da Horwitz!

8. CRIME E CASTIGO

Às seis horas da manhã seguinte, Jorge e Haroldo se arrastaram para fora da cama, foram até a casa do sr. Krupp e começaram a lavar o carro do diretor.

Então, enquanto Haroldo esfregava os pneus, Jorge perambulava pelo quintal arrancando todos os matinhos e pragas que encontrava. Depois disso, eles limparam as calhas e lavaram as janelas da casa do sr. Krupp.

Na escola, Jorge e Haroldo se sentaram comportados, prestaram atenção na aula e só abriram a boca nas horas apropriadas. Não contaram piadas, não fizeram estripulias — eles nem sorriram.

A professora ficava se beliscando.

— Eu *tenho certeza* de que é um sonho — ela dizia.

Na hora do almoço, os dois meninos passaram
aspirador na sala do sr. Krupp, engraxaram seus
sapatos e poliram sua mesa de trabalho. No
recreio, cortaram suas unhas da mão e passaram
sua gravata.

Todos os minutos livres do dia dos meninos
foram passados satisfazendo cada pequeno
capricho do sr. Krupp.

Depois da escola, Jorge e Haroldo cortaram a grama do quintal do sr. Krupp, cuidaram de suas plantas e começaram a pintar a frente de sua casa. Quando o sol já estava caindo, o sr. Krupp deu a cada menino uma pilha de livros.

— Cavalheiros — ele disse —, pedi a seus professores que passassem lição de casa extra para vocês *dois*. Agora vão para casa e estudem muito. Quero vê-los de volta aqui às seis da manhã. Teremos um dia cheio pela frente.

— Obrigado, senhor —, gemeram os dois meninos. Jorge e Haroldo, mortos de cansaço, voltaram para casa.

— Cara, esse foi o pior dia da minha vida — disse Jorge.

— Não se preocupe — falou Haroldo. — Vamos fazer isso só por mais oito anos. Então podemos mudar para alguma terra distante, onde eles nunca vão nos encontrar. Talvez o polo Norte.

— Tenho uma ideia melhor — declarou Jorge.

Ei, crianças!... Este é o

Hipnoanel 3D®

Aprendam a arte da hipnose!
Impressionem os amigos!
Controlem seus inimigos!
Dominem o mundo!

É Fácil!... É divertido

Apenas R$2,99

Enviar cheque ou dinheiro para:
Cia. de Novidades Espertas
Caixa Postal 1819
Conchinchina, Brasília
Favor aguardar de 4 a 6
semanas para entrega.

Mais R$ 1,01 pelo empacotamento e envio

Ele tirou um pedaço de papel do bolso e entregou-o a Haroldo. Era o anúncio de uma revista velha, que divulgava o Hipnoanel 3D.

— E como *isso* vai ajudar a gente? — perguntou Haroldo.

— Tudo o que temos que fazer é hipnotizar o sr. Krupp — respondeu Jorge. — Depois fazemos com que ele nos devolva a fita e vamos esquecer que essa confusão aconteceu.

— Grande ideia! — exclamou Haroldo. — E a melhor parte é que só temos que esperar de quatro a seis semanas para receber o anel!

9. DEPOIS DE QUATRO A SEIS SEMANAS

Depois de quatro a seis semanas de trabalho escravo massacrante, lições de casa cansativérrimas e de um humilhante bom comportamento na escola, um pacote chegou à caixa de correio da casa de Jorge, enviado pela Companhia de Novidades Espertas.

Era o Hipnoanel 3D.

— Aleluia! — gritou Jorge. — É exatamente como eu esperava!

— Deixa eu ver, deixa eu ver — pediu Haroldo.

— Não olhe diretamente para ele — avisou Jorge. — Você não quer ser hipnotizado, quer?

— Você realmente acredita que isso vai funcionar? — perguntou Haroldo. — Você realmente acha que podemos impressionar nossos amigos, controlar nossos inimigos e dominar o mundo, como dizia o anúncio?

— É melhor que funcione — falou Jorge. — Caso contrário, acabamos de jogar toda a nossa mesada pela janela!

10. O HIPNOANEL 3D

Na manhã seguinte, Jorge e Haroldo não chegaram cedo na casa do sr. Krupp para lavar seu carro e consertar o telhado. Na verdade, eles até chegaram um pouco atrasados na escola.

Quando finalmente apareceram, o sr. Krupp esperava-os na porta da frente. E, cá entre nós, ele estava *bravo*!

O sr. Krupp escoltou os garotos até sua sala
e bateu a porta com força.

— Muito bem, onde vocês estavam essa manhã?
— ele rosnou.

— Queríamos ir até sua casa — disse Jorge —,
mas estávamos ocupados tentando descobrir o
segredo deste *anel*.

— Que anel? — rebateu o sr. Krupp.

Jorge levantou a mão e mostrou o anel ao
sr. Krupp.

— Tem umas linhas esquisitas nele — explicou
Haroldo. — Se o senhor ficar olhando por um
tempo, vai ver que aparece uma figura.

— Bem, então fique com a mão parada —
rosnou o sr. Krupp. — Não consigo ver nada!

— Tenho que ficar mexendo a mão para frente
e para trás — disse Jorge —, ou a figura não
aparece.

Os olhos do sr. Krupp seguiram o anel para frente e para trás, para frente e para trás, para frente e para trás, para frente e para trás.

— O senhor precisa olhar mais fundo dentro do anel — comentou Haroldo. — Mais fundo... mais fuuundo... mais fuuunnndo... mais fuuuuunnndo.

— O senhor está ficando com sono — disse Jorge. — Com muuiito sooono.

As pálpebras do sr. Krupp começaram a cair.

— Estoouuucooomtaaannntosooooono — murmurou. Depois de alguns minutos, seus olhos se fecharam e ele começou a roncar.

— O senhor está sob o nosso feitiço — explicou Jorge. — Quando eu estalar os dedos, o senhor obedecerá a todas as nossas ordens!

Tec!

— Euuobedeceereeeiii — balbuciou o sr. Krupp.

— Muito bem — disse Jorge. — O senhor ainda está com aquela fita de vídeo na qual eu e Haroldo aparecemos?

— Siimmm — balbuciou o sr. Krupp.

— Então, passe para cá agora — ordenou Jorge.

O sr. Krupp destrancou um grande arquivo e abriu a última gaveta. Apanhou a fita de vídeo e entregou a Jorge, que a enfiou na mochila.

Haroldo tirou *outra* fita de sua mochila e guardou na gaveta do arquivo.

— O que tem nessa fita? — perguntou Jorge.

— É da minha irmã caçula. Tem o desenho *Cante com Geleia, o Dragãozinho Roxo*.

— Jogada de mestre — afirmou Jorge.

11. CURTINDO A HIPNOSE

Quando Haroldo se abaixou para fechar o arquivo, deu uma espiadinha lá dentro.

— Ei! — ele gritou. — Dê só uma olhada aqui!

O arquivo continha tudo que o sr. Krupp havia tirado dos meninos ao longo dos anos. Estilingues, almofadas que soltam pum, skates, falso cocô de cachorro... Tudo o que você imaginar tinha lá.

— Olhe só isso! — gritou Jorge. — Uma pilha enorme de nossos gibis do *Capitão Cueca*!

— Ele tem a coleção completa! — disse Haroldo.

Durante várias horas, os dois meninos ficaram sentados no chão, rindo e lendo seus gibis. Finalmente, Jorge olhou para o relógio na parede.

— Caramba — disse. — Está quase na hora do lanche! É melhor arrumar essa bagunça e ir para a aula.

Os garotos olharam para o diretor, que havia ficado a manhã inteira em pé e em transe atrás deles.

— Nossa, quase me esqueci do sr. Krupp — disse Haroldo. — O que vamos fazer com ele?

— Quer se divertir um pouquinho? — perguntou Jorge.

— Por que não? — respondeu Haroldo. — Eu quase não me diverti nada nas últimas semanas.

— Legal — disse Jorge. Ele foi até o sr. Krupp
e estalou os dedos. *Tec*!

— Você é... uma *galinha*! — ele acrescentou.

De repente, o sr. Krupp pulou em cima de sua
mesa e abanou os braços.

— Co-có, có, có — gritou, chutando seus papéis
e bicando seu porta-lápis.

Jorge e Haroldo morreram de rir.

— Deixa eu tentar, vai — pediu Haroldo. —
Humm, você é... um *macaco*!

— Você tem que estalar os dedos — observou
Jorge.

— Ah, é mesmo — falou Haroldo. *Tec!* — Você
é um *macaco*!

De repente, o sr. Krupp pulou de sua mesa
e começou a balançar, pendurado na luminária
do teto.

— U-u, u-u, uuuuuuu! — ele guinchou,
saltando de um lado a outro da sala.

Jorge e Haroldo riram tanto que quase choraram.

— Minha vez, minha vez — disse Jorge. — Vamos ver. Vamos transformá-lo em que agora?

— Eu sei — disse Haroldo, segurando um gibi do *Capitão Cueca*. — No Capitão Cueca!

— Boa ideia — afirmou Jorge. *Tec!* — Você é o maior super-herói de todos os tempos: *o incrível Capitão Cueca!*

O sr. Krupp arrancou a cortina vermelha da janela de seu escritório e amarrou-a no pescoço. Depois, tirou os sapatos, meias, camisa, calças e sua peruca horrorosa.

— Trá-lá-láaaaaa! — ele cantou.

O sr. Krupp postou-se diante dos meninos com um ar triunfante e sua capa balançava com o vento que entrava pela janela. Jorge e Haroldo ficaram embasbacados.

— Sabe — comentou Jorge —, ele até que se *parece* mesmo com o Capitão Cueca.

— É mesmo — concordou Haroldo.

Depois de um momento de silêncio, os dois meninos olharam um para o outro e caíram na gargalhada. Jorge e Haroldo nunca tinham rido tanto na vida. Lágrimas escorriam de seus olhos enquanto eles rolavam no chão, gargalhando histericamente.

Um tempo depois, Jorge se levantou do chão para olhar de novo.

— Ei — ele gritou. — Para onde ele foi?

12. JANELA AFORA

Jorge e Haroldo correram até a janela e olharam para fora. Lá, correndo pelo estacionamento, estava um senhor rechonchudo de cueca e com uma capa vermelha balançando nas costas.

— Sr. Krupp, volte aqui! — gritou Haroldo.

— Ele não vai atender por *esse* nome — lembrou Jorge. — Ele acha que é o Capitão Cueca agora.

— Oh, *não* — disse Haroldo.

— Provavelmente ele está indo lutar contra o crime — falou Jorge.

— Oh, *não* — disse Haroldo.

— E temos que impedi-lo — acrescentou Jorge.

— Oh, NÃO! — exclamou Haroldo. — *TÔ FORA!*

— Olha — argumentou Jorge —, ele pode *ser assassinado* por aí.

Haroldo não se comoveu.

— Ou pior — continuou Jorge —, nós é que podemos nos meter numa GRANDE confusão!

— Você está certo — concordou Haroldo. — *Temos* que ir atrás dele!

Os dois garotos abriram a última gaveta
do arquivo e pegaram seus estilingues e skates.

— Você acha que devemos levar mais alguma
coisa? — perguntou Haroldo.

— Acho — respondeu Jorge. — Vamos levar
o falso cocô de cachorro.

— Boa ideia — concordou Haroldo. — Nunca
se sabe quando um falso cocô de cachorro pode
ajudar!

Haroldo enfiou as roupas, os sapatos e a peruca do sr. Krupp na mochila. Em seguida, os dois meninos pularam pela janela, escorregaram pelo mastro da bandeira e dispararam em seus skates atrás do incrível Capitão Cueca.

13. LADRÕES DE BANCO

Jorge e Haroldo cruzaram a cidade em seus skates, procurando pelo Capitão Cueca.

— Não consigo vê-lo em lugar nenhum — disse Haroldo.

— E imaginar que um cara como ele deveria ser *fácil* de achar — completou Jorge.

Então os meninos viraram uma esquina e *lá*
estava ele. O Capitão Cueca estava em frente
à porta de um banco, todo metido a herói.

— Sr. Krupp — gritou Haroldo.

— Chiu — disse Jorge —, não o chame assim.
Chame-o de Capitão Cueca!

— Ah, é — concordou Haroldo.

— E não se esqueça de estalar os dedos —
ordenou Jorge.

— O.k.! — respondeu Haroldo.

Mas antes que ele pudesse chamar, as portas do banco se abriram de supetão e lá de dentro saíram dois ladrões. Os ladrões deram uma olhada no Capitão Cueca e pararam onde estavam.

— Rendam-se! — disse o Capitão Cueca. — Ou precisarei recorrer ao *poder do cuecão*!

— Oh, não — sussurraram Haroldo e Jorge.

Ninguém se moveu por uns dez segundos. Por fim, os ladrões se entreolharam e caíram na gargalhada. Eles soltaram os sacos de dinheiro e se jogaram no chão, rindo histericamente.

Quase imediatamente, a polícia apareceu
e prendeu os bandidos.

— Que isso lhes sirva de lição — gritou o
Capitão Cueca. — Nunca subestimem o poder
da cueca!

O delegado, que parecia muito bravo, marchou
em direção ao Capitão Cueca.

— E quem diabos *você* está pensando que é? —
perguntou o delegado.

— Ora, *eu* sou o Capitão Cueca, o maior
super-herói do mundo — ele respondeu. — Eu
luto pela Verdade, pela Justiça e por tudo que é
de Algodão Puro Previamente Encolhido!

— Ah, *É*!!? — gritou o delegado. — Algemem-no,
rapazes!

Um dos guardas sacou suas algemas e agarrou
o Capitão Cueca pelo braço.

— Ô-ôu! — exclamou Jorge. — Hora de pôr essas rodinhas para girar! — Juntos, os dois meninos zuniram com seus skates multidão adentro, costurando por entre guardas e curiosos. Haroldo chegou até o Capitão Cueca e empurrou o super-herói, que escorregou. Jorge agarrou-o no ar e os dois garotos fugiram em seus skates, carregando o Capitão Cueca nos ombros.

— Parem! — gritaram os guardas, mas já era muito tarde. Jorge, Haroldo e o Capitão Cueca haviam desaparecido.

14. O GRANDE BUM!

Depois da sua rápida fuga, Jorge, Haroldo e o Capitão Cueca pararam numa esquina deserta para tomar fôlego.

— O.k. — disse Jorge. — Vamos desipnotizá-lo agora mesmo, antes que mais alguma coisa...

... aconteça!

Uma grande explosão veio da Loja de Cristais Raros, no outro lado da rua. Uma fumaça pesada saía do prédio. De repente, dois robôs apareceram com um cristal roubado e pularam para dentro de uma perua velha.

— Por acaso dois *ROBÔS* entraram numa perua? — perguntou Haroldo.

— Quer saber — disse Jorge —, até *agora* estava *quase* dando para *acreditar* nesta história!

— Bem, dando ou não para acreditar — acrescentou Haroldo —, não vamos nos meter nisso. Eu repito: nós *NÃO* vamos nos meter!

Justo nesse momento, o Capitão Cueca se levantou da calçada e se jogou na frente da perua.

— Parem em nome da cueca! — ele gritou.

— Xiii... — disse Jorge. — Acho que já nos *metemos*.

Os dois robôs deram a partida e desviaram do Capitão Cueca. Infelizmente, a perua esbarrou na capa vermelha dele, que ficou presa. Com um baita *puxão*, o Capitão Cueca perdeu o equilíbrio e a perua o arrastou enquanto ia embora.

— AGARRE-O! — gritou Jorge.

Os dois meninos dispararam com seus skates em direção à perua acelerada e agarraram o Capitão Cueca pelos tornozelos.

— SOOOCCCOOORRROOO! — eles gritaram, enquanto a perua os arrastava pelas ruas da cidade.

— Manhê! — disse um menininho que estava sentado em um banco. — Acabei de ver dois robôs dirigindo uma perua com um cara de cueca pendurado por uma capa e puxando dois garotos de skate com os pés.

— E você acha que eu vou acreditar numa história tão ridícula? — perguntou a mãe do menininho.

Finalmente, cantando os pneus, a perua brecou
em frente a um depósito velho e abandonado. A
freada brusca fez o Capitão Cueca passar voando
sobre o teto da perua e atravessar a porta principal
do edifício.

— Ora, ora, ora — disse uma voz estranha que
veio de dentro do depósito. — Parece que temos
visita.

15. DR. FRALDINHA

Jorge e Haroldo ficaram escondidos atrás da perua até a barra ficar limpa. Então, foram se esgueirando até o buraco na porta e espiaram lá dentro.

O Capitão Cueca estava todo amarrado, os dois robôs estavam de guarda e um homenzinho estranho de fralda ria diabolicamente.

— Eu sou o cruel dr. Fraldinha — disse o estranho homenzinho ao Capitão Cueca. — E você será o primeiro a testemunhar minha conquista do *mundo*!

O dr. Fraldinha colocou o cristal roubado em uma grande máquina chamada *Superlaser Matic*. A máquina começou a acender luzes e fazer uns barulhos bem altos. Engrenagens pesadas começaram a girar e a girar e um raio laser saiu do cristal e disparou por um buraco redondo no teto.

— Em exatos vinte minutos, esse raio laser vai explodir a Lua e pedações dela vão cair em cima de todas as maiores cidades do mundo e arrasá-las! — comemorou o dr. Fraldinha. — Então, vou sair do meu lixo subterrâneo e dominar o planeta!

— Só uma coisa pode nos ajudar agora — falou Jorge.

— O quê? — perguntou Haroldo.

— Falso cocô de cachorro — concluiu Jorge.

Haroldo pegou na mochila de Jorge o falso cocô de cachorro e um estilingue e os entregou ao amigo.

— Tome cuidado — disse. — O destino de todo o planeta está nas suas mãos!

Com cuidado e mira certeira, Jorge atirou o falso cocô, que cortou os ares e atravessou o depósito. O cocô de borracha aterrissou com um "*ploft*!" bem embaixo do dr. Fraldinha.

— Conseguimos! — sussurraram Jorge e Haroldo.

PLOFT

O dr. Fraldinha olhou para baixo, viu o cocô entre seus pés e ficou todo vermelho.

— Ai, meu Deus! — gritou. — Estou morrendo de vergonha! Com licença, por favor.

Ele começou a se afastar disfarçadamente até o banheiro.

— Isso nunca aconteceu comigo antes, eu juro — ele disse. — A-acho que, com a empolgação, eu... eu... que horror! Que vergonha!

Enquanto o dr. Fraldinha se trocava, Jorge
e Haroldo se esgueiraram e entraram no velho
depósito.

Os robôs imediatamente detectaram os meninos
e começaram a marchar atrás deles. — Destruir
invasores! — diziam os robôs. — Destruir invasores!

Jorge e Haroldo gritaram e correram para o fundo
do depósito. Por sorte, Jorge encontrou
dois pedaços de pau e deu um deles a Haroldo.

— Não vamos precisar recorrer à extrema
violência gráfica, vamos?

— Espero que não — respondeu Jorge.

16. O CAPÍTULO DE INCRÍVEL VIOLÊNCIA GRÁFICA (EM VIRE O GAME®)

ATENÇÃO:

O capítulo a seguir contém cenas gráficas que mostram dois garotos arrebentando a pancadas um par de robôs.

Se você tem pressão alta ou desmaia quando vê óleo lubrificante, recomendamos encarecidamente que você se cuide melhor e deixe de ser tão infantil.

Apresentando **VIRE**

Como todos sabem, nada incrementa mais uma cena de ação besta que uma animação cafona.

Por isso, pela primeira vez na história da grande literatura, nós orgulhosamente trazemos para vocês a última conquista da tecnologia de animações cafonas: a arte do VIRE O GAME!

GAME ®

É ASSIM QUE FUNCIONA!

PASSO 1
Ponha a mão *esquerda* dentro da linha pontilhada onde está escrito "MÃO ESQUERDA AQUI". Mantenha o livro *deitado* e aberto.

PASSO 2
Segure a folha da *direita* com seu dedão direito de um lado e o indicador do outro (dentro da linha pontilhada onde se lê "DEDÃO DIREITO AQUI").

PASSO 3
É só virar a página da direita *rapidamente* até que a figura pareça se *mexer*.

(Para mais diversão, faça seus próprios efeitos sonoros!)

VIRE O GAME 1

(pp. 87 e 89)

Lembre-se, vire *somente* a p. 87.
Ao virá-la, certifique-se de que consegue
ver a ilustração da p. 87 *e* a da p. 89.
Se virar rapidamente, os dois desenhos
vão parecer <u>um</u> só desenho *animado*.

Não se esqueça de acrescentar os efeitos sonoros!

MÃO ESQUERDA AQUI

FÚRIA ROBÓTICA!

DEDÃO
DIREIT
AQUI

DEDO
INDICADOR
DIREITO
AQUI

FÚRIA ROBÓTICA!

VIRE O GAME 2

(pp. 91 e 93)

Lembre-se, vire *somente* a p. 91.
Ao virá-la, certifique-se de que consegue
ver a ilustração da p. 91 *e* a da p. 93.
Se virar rapidamente, os dois desenhos
vão parecer <u>um</u> só desenho *animado*.

Não se esqueça de acrescentar os efeitos sonoros!

MÃO ESQUERDA AQUI

JORGE SALVA HAROLDO!

DEDÃO
DIREITO
AQUI

DEDO
INDICADOR
DIREITO
AQUI

JORGE SALVA HAROLDO!

VIRE O GAME 3

(pp. 95 e 97)

Lembre-se, vire *somente* a p. 95.
Ao virá-la, certifique-se de que consegue
ver a ilustração da p. 95 *e* a da p. 97.
Se virar rapidamente, os dois desenhos
vão parecer <u>um</u> só desenho *animado*.

Não se esqueça de acrescentar os efeitos sonoros!

MÃO ESQUERDA AQUI

HAROLDO RETRIBUI O FAVOR!

DEDÃO
DIREITO
AQUI

DEDO
INDICADOR
DIREITO
AQUI

HAROLDO RETRIBUI O FAVOR!

VIRE O GAME 4

(pp. 99 e 101)

Lembre-se, vire *somente* a p. 99.
Ao virá-la, certifique-se de que consegue
ver a ilustração da p. 99 *e* a da p. 101.
Se virar rapidamente, os dois desenhos
vão parecer <u>um</u> só desenho *animado*.

Não se esqueça de acrescentar os efeitos sonoros!

MÃO ESQUERDA AQUI

MIOLOS MOÍDOS
(... E PARAFUSOS!)

DEDÃO
DIREITO
AQUI

DEDO
INDICADOR
DIREITO
AQUI

MIOLOS MOÍDOS
(... E PARAFUSOS!)

17. A FUGA

Depois de derrotar os robôs, Jorge e Haroldo
desamarraram o Capitão Cueca.

— Agora! — gritou Haroldo. — Vamos dar
o fora daqui!

— Espere! — pediu o Capitão Cueca. —
Temos que salvar o mundo primeiro!

Então Jorge, Haroldo e o Capitão Cueca
examinaram freneticamente todos os botões
da *Superlaser Matic*, procurando uma
maneira de desligar a máquina e
interromper o desastre iminente.

— Hummm — disse Haroldo. — Acho que essa pode ser a alavanca que estamos procurando.

Com toda a força, ele puxou a alavanca onde estava escrito "Autodestruição". De repente, a *Superlaser Matic* começou a engasgar e balançar. O raio laser gigante apagou e as peças da máquina começaram a voar em todas as direções.

— Ela vai EXPLODIR! — gritou Haroldo. — SALVE-SE QUEM PUDER!

— NÃO TÃO RÁPIDO! — gritou o dr. Fraldinha, que apareceu do nada. — Vocês exterminaram meus robôs, *destruíram* minha *Superlaser Matic* e arruinaram minha única chance de dominar o mundo. Mas não vão viver para contar a história! — O dr. Fraldinha sacou seu revólver laser *Fralda Matic* e apontou-o contra Jorge, Haroldo e o Capitão Cueca.

O Capitão Cueca rapidamente esticou uma de suas cuecas e atirou-a no dr. Fraldinha. A cueca foi parar bem na cabeça do malvado cientista.

— Socorro! — gritou o dr. Fraldinha. — Não consigo ver nada! Não consigo ver nada!

Jorge e Haroldo saíram correndo do depósito o mais rápido que podiam.

— Bom tiro, Capitão Cueca! — gritou Haroldo.

— Só tem uma coisa que eu não entendo — disse Jorge. — Onde você conseguiu aquela cueca extra?

— Que cueca extra? — perguntou o Capitão Cueca.

— Deixa pra lá — gritou Jorge —, vamos embora daqui antes que aquela *Superlaser Matic* ex...

... ploda!

A *Superlaser Matic* explodiu e o velho depósito voou pelos ares. A explosão atirou pedaços de metal incandescente para todos os lados. O fogo que subiu dos céus caiu de volta na direção dos nossos heróis, e a terra começou a se abrir sob seus pés.

— Oh, NÃO! — gritou Haroldo. — *ESTAMOS PERDIDOS*!

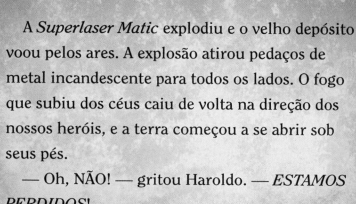

18. PARA ENCURTAR A HISTÓRIA

Eles conseguiram escapar.

19. DE VOLTA À ESCOLA

Jorge, Haroldo e o Capitão Cueca deram uma paradinha na delegacia. Amarraram o dr. Fraldinha em um poste e grudaram um bilhete nele.

— Pronto! — disse o Capitão Cueca. — Acho que esse bilhete explica tudo.

Então Jorge e Haroldo levaram o Capitão Cueca de volta à escola Jerome Horwitz.

— Por que viemos até *aqui*? — perguntou o Capitão Cueca.

— Bem — respondeu Jorge —, a sua *identidade secreta* trabalha aqui.

— Isso — disse Haroldo, abrindo sua mochila. — Ponha essas roupas, rapidinho!

— Não esqueça seu cabelo — recomendou Jorge.

O Capitão Cueca rapidamente se vestiu atrás de umas moitas.

— Bem, como estou? — ele perguntou.

— Está bonito — respondeu Jorge. — Agora faça uma cara de quem está com muita raiva!

O Capitão Cueca fez a cara mais cruel que pôde.

— Sabe — falou Haroldo —, até que ele se parece com o sr. Krupp!

— *Haroldo* — sussurrou Jorge —, ele é o sr. Krupp!

— É mesmo — disse Haroldo. — Quase esqueci.

Um tempo depois, os três estavam de volta à
sala do sr. Krupp, o diretor.

— O.k., Capitão Cueca — disse Jorge —, você
agora é o sr. Krupp.

— Estale os dedos — sussurrou Haroldo.

— Ah, é mesmo — concordou Jorge. *Tec*! —
Você agora é o sr. Krupp.

— Quem é o sr. Krupp? — perguntou o Capitão
Cueca.

— *Oh, NÃO!* — gritou Haroldo. — *Não está
funcionando*!

Os garotos tentaram mil vezes desipnotizar
o Capitão Cueca, mas *nada* parecia funcionar.

— Hummm — disse Haroldo. — Vamos ver
o manual de instruções do anel.

Jorge checou os bolsos da calça.

— Hummm — disse Jorge —, acho que o *perdi*.

— Você O QUÊ? — gritou Haroldo. Os dois
meninos procuraram freneticamente pela sala,
mas o manual de instruções do Hipnoanel 3D não
estava em lugar nenhum.

— Deixa pra lá — falou Jorge. — Tenho uma
ideia.

Ele tirou as flores de um vaso grande no canto
da sala. Então, jogou toda a água do vaso na
cabeça do Capitão Cueca.

— Por que você fez *isso*? — gritou Haroldo.

— Uma vez vi alguém fazer isso num desenho
animado — explicou Jorge —, então
deve funcionar!

Depois de uns minutos, o sr. Krupp despertou aos poucos.

— O que está acontecendo aqui? — perguntou. — E por que diabos estou todo molhado?

Jorge e Haroldo nunca tinham ficado tão felizes na vida toda por ver o sr. Krupp.

— Estou *quase* chorando de tão feliz — disse Haroldo.

— Bem, você vai chorar quando eu der aquela fita de vídeo para o time de futebol! — gritou o sr. Krupp. — Estou *cheio* de vocês dois!

O sr. Krupp pegou a fita de vídeo na gaveta do arquivo.

— Vocês estão com os *dias contados*! — ele rosnou e saiu furioso da sala com a fita, em direção ao campo de treinamento.

Jorge e Haroldo sorriram.

— Espere até o time de futebol ver *aquela* fita — disse Haroldo.

— É isso aí — concordou Jorge. — Espero que eles gostem de dragões roxos cantores!

— Ei, olha — disse Jorge. — Achei o manual de instruções do Hipnoanel 3D. Estava no bolso da minha *camisa*, não no da calça!

— Bem, joga essa coisa fora — ordenou Haroldo. — Nunca mais vamos precisar dele.

— Espero que não — disse Jorge.

ATENÇÃO!!

Seja qual for o motivo, nunca jogue água na cabeça de uma pessoa que estiver em transe! Isso fará a pessoa hipnotizada ir e voltar do transe que estiver em transe para a realidade sempre de escutar o barulho de dedos estalando.

LIXO

20. O FIM?

LA-LA-LA-LA-LA-LA-LA-LA-LA-LA-LA-LA

Depois daquele dia, as coisas nunca mais foram as mesmas na escola Jerome Horwitz.

O time de futebol gostou tanto do vídeo do sr. Krupp que mudou seu nome de Miolomoles para Amigos do Dragão Roxo Cantor. A torcida não gostou muito da mudança, mas, afinal, êpa! Quem vai discutir com um monte de jogadores de futebol americano?

Jorge e Haroldo voltaram a ser o que sempre foram, armando estripulias, contando piadas e fazendo novos gibis.

Eles só tinham que ficar de olho no sr. Krupp, porque...

... por alguma *estranha* razão, toda vez que ele ouvia o barulho de um estalo de dedos...

Tec!

... o diretor se transformava *novamente* em...

... você sabe quem!

— Oh, não! — gritou Haroldo.
— Lá vamos nós de *novo*! — disse Jorge.

A ORIGEM DO CAPITÃO CUECA

Dav Pilkey criou o Capitão Cueca quando tinha oito anos. Tudo aconteceu em 1974, quando Dav estava no segundo ano da escola luterana de St. John em Elyria, Ohio, nos Estados Unidos. Talvez não seja surpreendente saber que Dav Pilkey era um verdadeiro arteiro na classe... Mas ele também era o artista da turma.

Sempre que podia, criava desenhos engraçados para fazer seus amigos rirem, dando vida a seus próprios "vire o game", que exibiam cenas hilárias. E, assim como Jorge e Haroldo, Dav Pilkey também fazia suas próprias histórias em quadrinhos. Todas essas coisas eram vistas como uma grande bobagem pela intratável professora de Dav, a srta. Ribble.*

*Esse não é o nome verdadeiro dela.

Foi essa mesma professora, no entanto, que, sem querer, deu a ideia do Capitão Cueca a Dav. Um dia, numa conversa com a classe, ela por acaso usou a expressão roupa de baixo. Todo mundo começou a rir imediatamente. Isso deixou a professora muito brava.

Ela deu uma bronca nas crianças, gritando:

Mas esse simples comentário fez a classe gargalhar ainda mais, e naquele momento Dav Pilkey teve uma epifania. Ele percebeu que "roupa de baixo" era uma coisa muito poderosa. A simples menção ao assunto podia fazer todo mundo cair na risada.

No mesmo instante, Dav Pilkey desenhou seu

primeiríssimo esboço de um herói que usava capa
e se chamava Capitão Cueca. O desenho de Dav
foi um sucesso imediato entre os colegas de
classe. A srta. Ribble, no entanto, não ficou nem
um pouco impressionada. Ela rasgou o desenho
de Dav e o mandou para fora da classe.

Dav Pilkey já estava acostumado a ficar fora da sala. No segundo ano, era mandado para fora quase todo dia. Geralmente, ele passava esse tempo para cima e para baixo, mudando as palavras de todos os murais de aviso que encontrava pelos corredores para formar frases engraçadinhas.

Não demorou muito até a srta. Ribble descobrir
as aventuras de Dav e colocar uma carteira
no corredor para que ele ficasse quieto, sentado.

Em geral, Dav só desenhava quando estava
nessa carteira no corredor. Mas, no dia em
que teve aquela epifania, ele estava inspirado.
Começou a desenhar a história em quadrinhos
sobre seu herói com roupas de baixo. O Capitão

Cueca entrou em ação nas páginas da história de Dav derrotando monstros terríveis, resgatando crianças inocentes e salvando o mundo em cenas incríveis feitas com a técnica de flip book.

Quando Dav pôde finalmente voltar para a sala de aula, levou sua história em quadrinhos. Não demorou muito para que a primeira aventura do Capitão Cueca começasse a causar ataques de riso descontrolados. A srta. Ribble pegou a história, picou-a e disse ao menino que ele devia tomar jeito.

— Você não pode passar o resto da vida fazendo livros bobos — disse ela.

Apesar da repreensão da professora, Dav Pilkey continuou de fato fazendo livros bobos. Aliás, o primeiro livro bobo de Dav foi publicado quando ele ainda estava na faculdade.

Depois de se formar, ele escreveu e ilustrou muitos outros livros bobos sobre cachorros, gatos, ratos, dragões e coelhos tapados. Quando não estava fazendo livros, Dav visitava centenas de

escolas e bibliotecas e conversava com as crianças sobre sua experiência como autor.

Toda vez que Dav participava desses bate-papos, ele desenhava uma imagem gigante do Capitão Cueca, o que fazia todos rirem descontroladamente. No fim de suas apresentações, as crianças sempre faziam a mesma pergunta para ele:

— Você vai fazer um livro sobre o Capitão Cueca?

— Não sei — respondia Dav. — Vocês acham que eu deveria?

A resposta era sempre um grito retumbante…

Então, em 1996, Dav Pilkey começou a escrever e desenhar o livro que você tem nas mãos agora. Dav queria incluir o máximo possível de experiências da sua infância no livro, por isso ele baseou Jorge e Haroldo nele mesmo. Assim como Dav, Jorge e Haroldo são os arteiros *e* os artistas da classe. Eles fazem histórias em quadrinhos, trocam as letras dos murais e sempre arrumam problemas com os professores e o diretor por uma coisa ou outra.

E, é claro, as cenas de ação são sempre apresentadas com a técnica do "vire o game".

CURIOSIDADE #1

Os nomes de Jorge e Haroldo vêm de dois famosos livros infantis americanos que Dav Pilkey amava quando era criança: *George, o curioso* e a série O Menino Haroldo com um Lápis de Cor.

CURIOSIDADE #2

Os sobrenomes de Jorge e Haroldo, Beard e Hutchins, são os sobrenomes de dois atores mirins que fizeram a série de curtas-metragens de Hal Roach, *Os batutinhas*. Dav assistia a essa comédia todos os dias quando era criança, e os atores que faziam seus dois personagens favoritos, Wheezer e Stymie, se chamavam Bobby Hutchins e Matthew Beard.

CURIOSIDADE #3

O sobrenome do Sr. Krupp também vem de um personagem de *Os batutinhas* (mais ou menos). O curta-metragem de 1934, *Shrimps for a Day* [Camarões por um dia], tinha um velho malvado e rabugento que marcou muito Dav quando ele era criança. O nome do personagem era sr. Crutch, mas Dav se confundiu e acabou chamando o alterego do Capitão Cueca de sr. Krupp. Se a memória de Dav fosse melhor, o sr. Krupp teria sido chamado de "sr. Crutch".

CURIOSIDADE #4

A Escola Jerome Horwitz deve seu nome ao Curly, um dos personagens d'*Os três Patetas* (outro programa a que Dav Pilkey assistia todos os dias quando era criança). O nome verdadeiro de Curly era Jerome Horwitz.

CURIOSIDADE #5

Dav Pilkey não apenas escreve todas as histórias do Capitão Cueca como também faz as ilustrações (incluindo os desenhos das capas). Ele costuma levar cerca de seis meses para escrever cada livro e outros seis para desenhar e colorir os desenhos.

CURIOSIDADE #6

Dav faz todas as ilustrações a lápis. Depois ele as xeroca em cartolina e pinta com aquarela. As capas são pintadas com tinta acrílica e com um pouco de tinta nanquim.

SOBRE O AUTOR

Quando Dav Pilkey era criança, ele foi diagnosticado com TDAH, dislexia e problemas de comportamento. Dav era tão desobediente na escola que seus professores o deixavam de castigo sentado no corredor todos os dias. Por sorte, Dav adorava desenhar e inventar histórias. Ele passava o tempo no corredor criando suas próprias histórias em quadrinhos.

No segundo ano, Dav Pilkey criou uma história em quadrinhos sobre um super-herói chamado Capitão Cueca. Desde então ele cria livros best-sellers que exploram temas divertidos e positivos, inspirando leitores de todo o mundo.

COLEÇÃO O HOMEM-CÃO

COLEÇÃO AS AVENTURAS
DO CAPITÃO CUECA

A marca FSC® é a garantia de que a madei-
ra utilizada na fabricação do papel deste livro provém de florestas que foram geren-
ciadas de maneira ambientalmente correta,
socialmente justa e economicamente viável,
além de outras fontes de origem controlada.

Esta obra foi composta em ITC Clearface e impressa pela
Lis Gráfica em ofsete sobre papel Alta Alvura da Suzano S.A.
para a Editora Schwarcz em fevereiro de 2020